BELGIQUE

300 photos couleurs

BELGIQUE

La Belgique est un royaume situé en Europe Occidentale et possédant des frontières communes avec les Pays-Bas, l'Allemagne, le Grand-Duché de Luxembourg et la France. Elle est en outre délimitée par la mer du Nord. La Belgique, qui couvre une superficie totale de 30.507 km², présente une grande diversité de reliefs.

Au nord s'étendent les plaines flamandes et la bande côtière protégée par les dunes ainsi que le bas-plateau campinois et ses vastes étendues de bruyères et de forêts de conifères.

Au nord de la Sambre et de la Meuse, nous découvrons un plateau légèrement vallonné alors que le haut-pays ardennais où se trouve notamment le point culminant de Belgique (le signal de Botrange, 694 m) – s'étend au sud de ces cours d'eau.

La Belgique dispose de moyens de communication et de transport importants : un réseau ferroviaire dense, une infrastructure routière répondant aux exigences modernes et un ensemble de voies navigables particulièrement développé composé de fleuves et d'innombrables affluents et canaux qui favorisent le développement de la navigation.

La Belgique est une monarchie constitutionnelle composée de provinces, elles-mêmes subdivisées en arrondissements et en communes. Ce petit pays a une longue histoire. Au début de notre ère, le territoire était occupé par le stratège romain Jules César. Le roi médiéval Clovis en fit ensuite sa résidence. Les peuplades scandinaves pillèrent cette région à plusieurs reprises. La lignée des Comtes de Flandre vit le jour au nord du pays alors que plus au sud, les Lotharingiens réclamèrent leur souveraineté.

A l'époque des ducs de Bourgogne, le pays connut une période d'essor économique et culturel qui dura jusqu'à la domination espagnole. L'époque habsbourgeoise représenta une nouvelle période faste et ce fut enfin sous l'occupation française que furent jetées les bases du royaume de Belgique. L'indépendance fut proclamée et, le 21 juillet 1831, Léopold de Saxe-Cobourg, premier roi des Belges, prêta serment. Il fit beaucoup pour le développement économique du pays et s'intéressa de près aux événements internationaux. A sa mort, son fils Léopold lui succéda. Ce fut un souverain aux idées modernes qui entreprit à lui seul une oeuvre grandiose : il offrit au pays un territoire colonial, le "Congo Belge".

Comme il n'avait pas de descendant masculin, ce fut son neveu Albert qui lui succéda sur le trône. C'est sous le règne d'Albert I qu'éclata la Première Guerre Mondiale. Celui-ci entreprit la défence du pays en tant que commandant en chef des forces armées et organisa la résistance. Il favorisa également la recherche scientifique.

Il mourut dans un accident à Marche-les-Dames en 1934. Son fils Léopold lui succéda. Alors qu'il n'était encore qu'un jeune prince, celui-ci avait combattu sur le front en 1918. Il dut ensuite affronter les envahisseurs allemands en mai 1940 et abdiquer en faveur de son fils Baudouin à la fin de la Deuxième Guerre Mondiale.

Le roi Baudouin I tenta de garantir le bon fonctionnement des institutions démocratiques et de maintenir la structure unitaire de la Belgique.

Après sa mort en 1993 son frère lui succéda comme Albert II.

BELGIË ✦ BELGIQUE

NE

NORDZEE

LIER

ANTWERPEN

ST.-NIKLAAS

KNOKKE

DAMME

GENT

BRUXE
BRUS

AALST

OOSTENDE

BRUGGE

OUDENAARDE

NIEUWPOORT

IJZER

LEIE

SCHELDE

KORTRIJK

MONS

VEURNE

IEPER

TOURNAI

FRAN

ERLAND

BOKRIJK

DEUTSCHLAND

N

MAAS

HASSELT

SCHERPENHEUVEL

SPA

LIEGE

MALMEDY

TONGEREN

MEUSE

BANNEUX

TIENEN

EUVEN

COO

HUY

DURBUY

ERLOO

NAMUR

HOUFFALIZE

G. D. DE LUXEMBOURG

LA ROCHE

HARLEROI

SAMBRE

DINANT

BASTOGNE

HAN SUR LESSE

ST. -HUBERT

ARLON

BEAURAING

CERF

MARIEMBOURG

MEUSE

BOULLON

VIRTON

CHIMAY

Bruxelles fut fondé vers 580 par St.-Géry, évêque de Cambrai. Selon la légende il traversa au péril de sa vie la forêt de Soignes et construisit une humble chapelle sur une petite île de la Senne. Un siècle plus tard la petite île devint une bourgade importante portant le nom de "Broeksele".

La ville ne commença à se développer qu'au 11e siècle. Les premiers remparts remontent vers 1100. La prospérité de la ville fut grande sous les ducs de Bourgogne et Philippe le Bon en fit sa résidence. Les métiers de luxe, tapisseries, orfèvres, etc. y prédominaient.

Sous les Habsbourg elle ne perdit point son importance. Pendant le règne de Philippe II le siège du gouvernement central des Pays-Bas fut transféré définitivement à Bruxelles.

En 1695 lors des guerres de Louis XIV, Bruxelles fut bombardée par le maréchal de Villeroy. La Grand Place, l'Hôtel de ville et 4.000 maisons furent incendiés. Bruxelles, dont la transformation commença au 18e siècle, prit un développement considérable à la fin du 19e siècle et au commencement du 20e siècle par l'accroissement des faubourgs et la création de nouveaux quartiers.

La Grand Place est le coeur de la vieille ville, elle a la forme d'un rectangle de 110 m de longueur sur 68 m de largeur. Elle est dominée par l'Hôtel de Ville, avec son élégant beffroi, en face par la Maison du Roi et est entourée d'anciennes maisons des corporations du 17e siècle.
Le marché aux fleurs se tient dans la journée et le soir les illuminations font de la Grand Place une véritable féérie.

L'Hôtel de Ville est le plus remarquable des anciens monuments de Bruxelles et une des plus belles batisses de l'architecture gothique de Belgique. Le beffroi est un chef-d'oeuvre d'élégance et de légèreté et fut construit en 1449 par Jean Van Ruysbroeck.

Il est d'une hauteur de 90 m et est surmonté d'une girouette de 5 m représentant St.-Michel terrassant le dragon. Le rez-de-chaussée est bordé d'un portique de 17 arcades et est surmonté de deux étages dont les hautes croisées sont chargées de sculptures et de statues.

La Salle Gothique longue de 25 m et large de 12 m, servit aux grandes réceptions et cérémonies officielles. Elle est ornée de sculptures, de boiseries gothiques et de huit tapisseries représentant les corporations, réalisées entre 1875 et 1881 d'après les cartons de W. Geets.

La Maison du Roi était à l'origine la Halle aux pains; elle ressemble à une belle châsse gothique. L'arcade centrale du rez-de-chaussée est surmontée de deux statues, celle de Marie de Bourgogne, qui céda en 1447 la Maison du Roi à la ville, et celle de sont petit-fils Charles-Quint, sous le règne duquel la maison fut rebâtie. La Maison du Roi abrite le Musée Communal de Bruxelles. Le musée possède une incomparable collection de faïences et de porcelaines.

Un escalier monumental occupe le centre du bâtiment. Au second étage est conservée la fameuse garde-robe de Manneken-Pis, quelques 600 costumes, dont les plus anciens remontent au 18e siècle.

Les origines de La Cathédrale St.-Michel et St.-Gudule remontent au 13ᵉ siècle et font apparaître dans la plénitude de sa magnificence et de sa force, l'art religieux qui fit la grandeur du Moyen-Age. La façade principale, précédée d'un escalier monumental, se compose de deux tours carrées hautes de 69 m et reliées par un pignon décoré d'arcatures et de niches.

L'intérieur mesure 110 m de longueur, 50 m de largeur et 26 m de hauteur. Les piliers romans qui soutiennent la voûte sont ornés de statues des douze apôtres. Le choeur est en ogival primaire, éclairé par de hautes fenêtres ornées de vitraux du 16ᵉ siècle. La chaire de vérité est remarquable. Les sculptures en bois représentent Adam et Eve chassés du Paradis.

La Basilique Nationale du Sacré-Coeur a été érigée sous l'initiative du roi Léopold II qui posa la première pierre en 1905.

On avait prévu un édifice néogotique, mais en 1919, l'architecte Van Huffel fit de nouveaux plans dont les réalisations ont pris fin en 1970.

Les tours sont d'une hauteur de 65 m et la coupole qui la domine s'élève à 100 m de hauteur et a 33 m de diamètre.

La Bourse est le rendez-vous du monde financier belge.

La première pierre fut posée en 1871, le bâtiment fut inauguré le 27 décembre 1873.

Les six colonnes à chapiteau corinthien sont surmontées par un fronton orné d'un bas-relief représentant "La Belgique protégeant l'industrie et le commerce".

Le Palais de Justice est le monument le plus colossal d'Europe; sa superficie totale couvre 26.000 m carrés.

Aux quatres coins de l'édifice il y a des statues représentant : la Justice, la Clémence, la Force et le Droit.

L'oeuvre de l'architecte Poelaert, commencée en 1866 et inaugurée le 15 octobre 1883, a été criblée de critiques mais admirée de tous.

Le Palais du Cinquantenaire fur créé lors de l'exposition de 1880 pour commémorer le cinquantenaire de l'indépendance belge. L'allée centrale du parc aboutit à l'Arc de Triomphe, qui a 45 m de hauteur et trois arcades de 10 m d'ouverture chacune. Le palais se compose de deux immenses ailes qui abritent des musées.

Le Palais Royal est le monument le plus grandiose de ce quartier. Le fronton porte un bas relief de Th. Vinçotte. Il représente la Belgique tenant dans une main le drapeau belge et dans l'autre un médaillon à l'effigie du roi Lopold II.
Actuellement c'est la résidence officielle des Souverains belges.

Le Pavillon Chinois et la Tour Japonaise sont de véritables joyaux de l'art d'Extrême-Orient. Ils proviennent de l'exposition de Paris (1900) et furent réédifiés ici, sous le règne du roi Léopold II.
Le Pavillon Chinois abrite de merveilleuses collections de porcelaines et d'objets d'art chinois et japonais des 17e et 18e siècles.

L'industrie de la dentelle connut au 17e siècle une expansion considérable. La dentelle
de Bruxelles est réputée pour sa beauté et la
composition de ses sujets.

Le Musée des Costumes et des Dentelles
réunit une collection des chasubles et des
habits ecclésiastiques richement brodés du
18e siècle, de la dentelle de Bruxelles du 16e
et 19e siècle, de costumes et de vêtements
civils, de documents sur l'industrie textile
de la capitale et l'atelier de passementerie.

Les évènements ont fait de Manneken-Pis,
figure légendaire bruxelloise, un héros dont
la gloire s'est répandue à l'étranger.

Il possède probablement la garde-robe la
plus complète et la plus variée qui ait jamais
existée. C'est surtout après la guerre de
1914-1918 qu'elle a pris de l'importance.
Actuellement, elle comporte plus de 600
costumes, dont des habits seigneuriaux, mi-
litaires, folkloriques, carnvalesques et de
nombreux vêtements de divers métiers.

Une légende veut qu'un riche bourgeois
aurait perdu son fils unique dans la foule au
cours de réjouissances populaires. Après
cinq jours, il le retrouva au coin de la rue de
l'Etuve, faisant ce que notre petit bon-
homme fait encore.

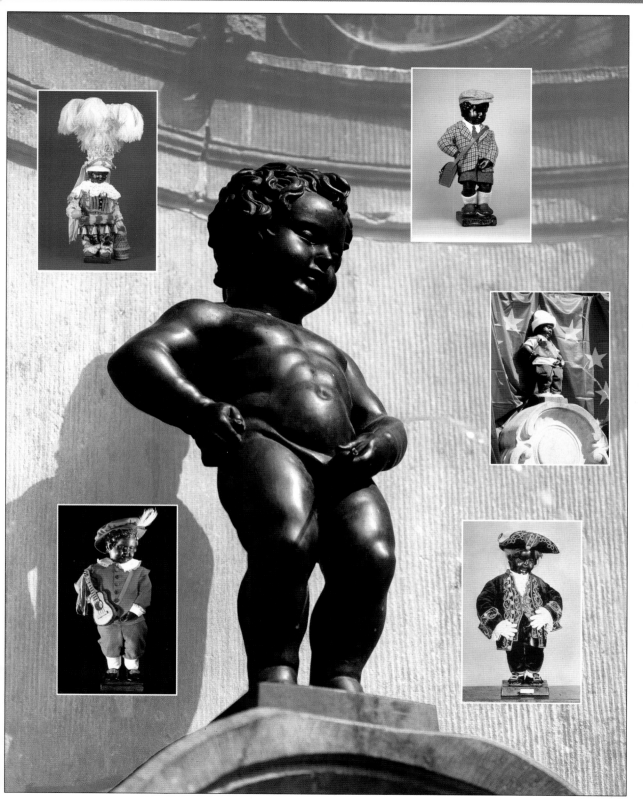

Averbode est un village de vacances de Campine méridionale, situé à la frontière du Brabant, de la province d'Anvers et du Limbourg. Son abbaye prémontrée a été fondée en 1134 mais a subi d'importantes transformations au cours des 17e et 18e siècles. Après le terrible incendie de 1942, les bâtiments ravagés ont été minutieusement reconstruits sous la direction de l'architecte J. Vandendael.

Gaasbeek est un pittoresque village résidentiel et agricole bâti sur les rives de la Molenbeek, au centre des vallons du "Pajottenland". Le Château de Gaasbeek a appartenu autrefois aux familles les plus célèbres de notre histoire. Il a été endommagé plusieurs fois par le feu et diverses destructions. Son dernier propriétaire la famille Arconati-Visconti, a fait restaurer le Château, et la marquise offrit celui-ci à l'Etat Belge en 1921.

Grimbergen est niché dans le paysage vallonné qui borde le Maalbeek. On peut encore y admirer de nombreux moulins à eau et des fermes.
L'abbaye prémontrée et sa magnifique église baroque valent à elles seules le détour.

Leuven (Louvain), traversée par la Voer et la Dyle, est une ville d'art, un centre touristique et une cité universitaire mondialement connue qui fut fondée en 1425 par le duc Jean IV.

Au cœur de la ville, "Fonske", l'éternel étudiant, répand sa science. L'église est considérée comme un monument réussi de style haut gothique brabançon. L'intérieur de la collégiale surprend par ses proportions harmonieuses.

Le 'Oude Mark't est, depuis de nombreuses années, le lieu de rencontre pour jeunes et moins jeunes. Le 'Groot Begijnhof' (Béguinage) date du 13e siècle et est à présent un quartier estudiantin fort convoité.

L'hôtel de ville est un chef-d'œuvre de gothique tardif brabançon, l'un des plus beaux bâtiments civils du pays. Les travaux de construction se sont étendus de 1439 à 1469.

Nivelles est une charmante ville du Brabant Wallon qui possède une histoire passionnante et qui en garde aujourd'hui encore de nombreux et remarquables vestiges.
La Collégiale St.-Gerturde est un bel exemple de l'architecture romano-byzantine du 11ᵉ siècle.

Tervuren (Tervueren) est une localité insérée dans le paysage vallonné où la Voer prend sa source. Elle se trouve en outre à la lisière de la forêt de Soignes. Le Musée Royal d'Afrique Centrale, construit pour arbriter la collection exeptionnelle constituée par le Roi Leopold II, a été inauguré le 30 avril 1910 par le Roi Albert I.

Villers-la-Ville est blottie au fond de la vallée de la Thyle , le long du chemin touristique du "Roman Pais".

L'abbaye cistercienne fut fondée en 1146 et devint progressivement l'une des abbayes les plus grandes et les plus riches du pays. Elle ne put toutefois résister aux guerres de religion et fut la proie des vandales.

Ses ruines ont été achetées par l'Etat Belge en 1893.

Waterloo est le champ de bataille mondialement connu où Napoléon subit une défaite en 1815. Un monticule de 45 m de haut permet de découvrir une magnifique vue d'ensemble des plaines avoisinantes. Le lion qui se trouve au sommet a une longueur de 4,45 m et pèse 28 tonnes.

Wavre est arrosée par la Dyle et entourée de collines. C'est un centre commercial florissant.

L'Hotel de Ville a conservé la façade de l'ancienne église des Carmes.

Accrochée à la balustrade la "Maca" incarne le bon vivant et moqueur des habitants.

LE MACA

Zoutleeuw (Léau) est une cité historique en bordure de la Petite Gette et entourée des vergers de Hesbaye et du Hageland. Elle fut autrefois l'une des 7 villes libres du duché de Brabant.

L'église gothique St.-Leonard est l'un des lieux de prière les plus beaux et les plus riches du pays flamand. L'interieur est un véritable joyau d'architecture.

Brugge (Bruges), petite colonie qui naquit entre le 7e et le 9e siècle sur les rives du "Zwin". Les premiers habitants de l'endroit qui y cherchaient un abri l'appelèrent "Bruggia". C'est autour de cette place forte, dénommée "Burg" (Bourg) et construite par les Comtes de Flandres, que s'érigia la ville qui, grâce à sa liaison avec la mer, devint un centre de commerce important. Bruges devint tellement importante que les Comtes de Flandres y résidèrent. Au cours du 13e siècle, Bruges s'éleva au rang de port mondial. Bruges allait reprendre un éclat grandiose, en tant que ville résidentielle, par la présence des Ducs de Bourgogne. Elle devint une ville fastueuse et un centre artistique sans pareil. Son architecture ancienne apporta sa quote-part inestimable au patrimoine artistique européenne.

La Grand-Place a été, de par les siècles, la place la plus importante de la ville. C'est à cet endroit que furent jetées les bases de la vie économique, politique et sociale. Les chevaliers y défendaient leurs titres de noblesse, on y discutait de l'industrie du textile flamand et le peuple s'y battait pour sa liberté.

Le Beffroi et les Halles furent construits vers 1240. Ils servaient de salle de réunion aux magistrats de la ville. De la tour de 83 m de haut on a une vue panoramique de la plaine flamande, pour admirer cela il faut monter 366 marches.

Le Bourg peut être dénommé à juste titre l'Acropole de la ville. On y construisit la forteresse du Comte Baudouin I. Aujourd'hui encore, la place est toujours un musée de plein air où l'on découvre neuf siècles d'architecture.

L'Hôtel de Ville gothique fut construit en 1376 et est la plus vieille de Flandres. La façade est pourvue de six fenêtres en ogive et de 48 niches pour d'éventuelles statues. Les statues originales de figures bibliques et de princes flamands furent détruites en 1712. Dans l'Hôtel de Ville se tint en 1464 la première réunion des Etats Généraux.
Un escalier monumental conduit à l'étage où se trouve la fameuse salle gothique ou salle de conseil. Le plafond d'époque richement décoré et doré embellit la salle.

La Basilique du Saint Sang est un sanctuaire à deux étages de style roman remontant au 12ᵉ siècle. Selon la tradition, le Saint Sang fut ramené de Jerusalem par Thierry d'Alsace et confié à la ville de Bruges en 1150.

L'Eglise Notre-Dame est un monument gothique unique
La tour de 122 m est la plus haute des Pays-Bas.
Ice se trouvent les mausolées de Marie de Bourgogne et de
son père Charles le Téméraire.
On y admire la magnifique "Vierge et l'Enfant", une oeu-
vre en marbre de Michel-Ange.

L'Eglise St.-Sauveur aurait été conçue vers 640 par St.-
Eloi, évêque de Noyon.
Elle fut modifiée à plusieurs reprises. La tour néo-romane
fut terminée au 19ᵉ siècle. Le maître-autel date de 1642
Au-dessus de l'autel se trouvent les statues des trois patrons
de l'église : St.-Sauveur, St.-Donation et St.-Eloi. L'église
fut enrichie par des oeuvres d'art provenant d'autres églises
et couvents.

Le Béguinage a été construit en 1245 par Marguerite de Constantinople, comtesse de Flandres.

On s'y promène dans un écrin de verdure et de tranquillité. C'est en 1928 que prit fin la vie des béguines à Bruges. En 1930, le béguinage reprit son atmosphère religieuse. Une communauté de Bénédictines s'y est établie et a revêtu l'habitat des béguines.

On peut visiter une des maisons des Béguines. Il s'agit d'une petite maison telle qu'elle fut construite au 17e siècle.

La Rozenhoedkaai inspire les peintres et les photographes en toutes saisons.

Le musée Gruuthuse était à l'origine le palais des Seigneurs de Gruuthuse (15e siècle). Le seigneur le plus renommé de cette génération de patriciens brugeois était Lodewijk van Gruuthuse, chevalier de la Toison d'Or. Sa devise "Plus est en vous" peut être lue à plusieurs endroits du bâtiment. En 1692, le palais servit de Mont de Piété.

Après les travaux de restauration de 1883 à 1898, on en fit le musée de la Société d'Antiquité de Bruges et à partir de 1955, celui de l'Antiquité et de l'Art.

L'Hôpital St.-Jean est un des hôpitaux les plus vieux d'Europe. Il existait déjà au 12e siècle et servait aussi de lieu de séjour aux voyageurs sans abri.

Une des anciennes salle d'hospitalisation du 13e siècle contient le très renommé musée Memling. Cette salle a le grand honneur d'exposer des travaux de Hans Memling. Celui-ci naquit en Allemagne et mourut à Bruges en 1494.

Une porte du 13e siècle donne accès au Musée Groeninge. Ce musée communal des Beaux-Arts fut construit en 1930 à la place de l'ancien couvent des Augustins. Il contient la collection la plus complète de la vieille peinture flamande et moderne.

L'artisanat textile le plus typique pour Bruges est indubitablement celui de la dentellerie. La dentelle a fait fureur en Europe jusqu'au 17e siècle, sous le nom de "dentelle flamande".
La dentelle de Bruges la plus fine est celle faite au "point de sorcière" qui n'exige pas moins de 300 à 700 fuseaux.

Les petits ponts, les canaux et les cygnes sont autant d'éléments qui donnent à Bruges ce petit air romantique que nous aimons figer par notre plume et dans nos peintures. Une ville ravissante, captivante et enchanteresse.
Les carosses et les petits bateaux offrent la seule possibilité de découvrir d'un endroit original les coins les plus pittoresques de la ville. On pourrait parler d'un conte prodigieux qui commence par :
"Il était une fois...".

Ieper (Ypres) se trouve aux pieds des collines flamandes et constitue un centre historique et touristique.

La porte de Menin a été construite en style néo-baroque (1923-1927) pour commémorer le souvenir des soldats britanniques.

Tous les soirs, des clairons sonnent ici le "Last Post" (couvre-feu britannique).

Kortrijk (Courtrai) est une ville industrielle et commerciale en bordure de la Lys qui abrite le plus important marché de lin du monde.

Sur la place du marché se trouve le beffroi qui est en fait un vestige des anciennes halles (env. 1300), dont la tour en pointe est ornée de la statue de Mercure, dieu du commerce.

L'église St.-Martin est un édifice gothique du 13e siècle qui recèle une quantité importante de tableaux, de statues et de sculptures sur bois.

La bande côtière de 66 km, de La Panne à Knokke, constitue un pôle d'attraction touristique. Ses deux extrémités abritent des réserves naturelles où l'on peut encore admirer une nature à l'état sauvage.

Veurne (Furnes) est une ville d'art et un cen
tre touristique fort attrayant.

Sa Place du Marché, de forme carrée, es
l'une des plus belles du pays. Elle est entou
rée de bâtiments historiques de la
Renaissance flamande.

La procession annuelle des Pénitents a
conservé son caractère médiéval et l'on
retrace des tableaux de l'Ancien et d
Nouveau Testament. Le cortège est suivi pa
des Pénitents portant tous une croix en boi
d'environ 25 kg.

Gent (Gand) commença à se développer au 7ᵉ siècle autour des deux monastères de St.-Bavon et de St.-Pierre, en un endroit alors connu sous le nom de Ganda. Bâtie au confluent de l'Escaut et de la Lys, la vieille ville, parcourue de rues étroites, sera dévastée par les Normands au 9ᵉ siècle. C'est ce qui amène alors les Comtes de Flandres à édifier une forteresse en pierre. L'industrie du drap et du lin y connaît un essor considérable. Les navires y apportent les splendeurs et les richesses des mers lointaines. La fermeté des Comtes face à ces revendications fut ainsi à l'origine de plusieurs émeutes. Les luttes menées au 14ᵉ et au 15ᵉ siècle pour arracher le pouvoir aux comtes de Flandres, le démocratique 14ᵉ siècle de Jacob van Artevelde et son fils Philippe, la somptuosité au moyen-age et le renouveau du 17ᵉ siècle sont les points culminants de sa prestigieuse histoire.

Le Château des Comptes de Flandres "Gravensteen", était à l'origine une forteresse érigée par le Comte Baudouin I. Il fut reconstruit plus tard sur ordre de Philippe d'Alsace, Comte de Flandres.

Du sommet de donjon, on jouit d'un panorama incomparable sur le coeur historique de la ville ainsi que sur la ceinture urbaine et industrielle qui l'entoure.

Le Marché du Vendredi était en quelque sorte le forum de Gand, théâtre de nombreuses festivités, de luttes et de disputes, au gré des événements. Au centre se trouve la statue de Jacob van Artevelde. L'artiste P. Devigne sculpta le maître de la cité dans une attitude noble et énergique, tel qu'il se tenait toujours devant son peuple.

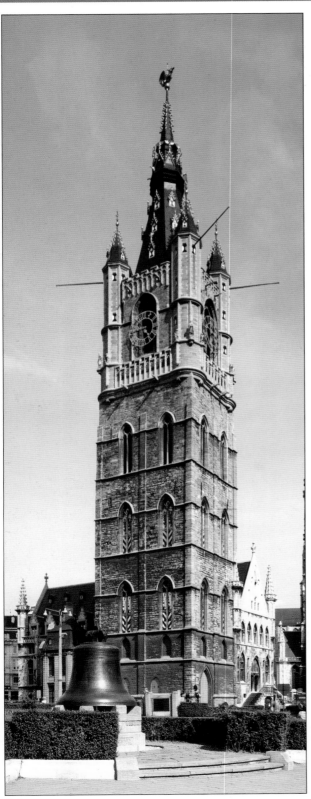

L'érection du Beffroi date
des 13e et 14e siècles. Il fallait
à la ville un bâtiment spécial
où elle pourrait conserver ses
privilèges et à faire appel à la
milice communale.
Le carillon, qui se compose
de 44 cloches, compte parmi
les plus célèbres du "Plat
Pays".

L'Hôtel de Ville est un remarquable bâtiment bourgeois
construit àprès 1302. Le bâtiment fut érigé avec un mélange
de style gothique et renaissance. L'intérieur offre une image
très vivante de l'histoire de la ville et possède une série de
remarquables salles du 15e et 17e siècle.
La Salle du Trône abrite le trône du sacre de Joseph II ainsi
que plusieurs panneaux peints de grandes dimensions, qui
décoraient la ville lors des joyeuses entrées des souverains.
Le salon d'acceuil actuel est aménagé dans l'ancienne salle
des Etats-Généraux de Flandres. Il rappelle les périodes
espagnole et autrichienne.

La Cathédrale St.-Bavon s'élève sur l'emplacement d'une ancienne chapelle construite en 942 en l'honneur de St.-Jean-Baptiste, premier protecteur de la cité commerçante. C'est dans cette église inachevée que Charles Quint fut baptisé. En 1550, il offrit des fonds pour que l'édifice soit pourvu de fenêtres cintrées ornées de vitraux. Monument gothique d'une sobre élégance, la cathédrale est aussi un véritable musée brillant par ses sculptures, ses ferronneries et ses peintures. Le maître-autel date du début du 18e siècle. La plus célèbre des peintures "L'Adoration de l'Agneau Mystique" est placée dans une chapelle spécialement aménagée. Ce chef-d'oeuvre est attribué aux frères Jean et Hubert Van Eyck.

Le Quai aux Herbes bordait jadis le port : on y voyait des négociants vendre leurs marchandises à la foule qui s'y pressait.
Ses remarquables immeubles font, de nos jours encore, la fierté de la ville. Ils se reflètent dans les eaux de la Lys, et permettent d'imaginer sans peine ce que fut prospérité et la puissance des corporations.

Le Quai au Blé était avec le Quai aux Herbes le centre des activités portuaires au moyen-age. Ses magnifiques demeures furent restaurées dès le début de notre siècle, à partir de dessins datant de l'époque.

Le Musée du Folklore est installé depuis 1962 dans les bâtiments de l'hospice des Enfants Alijn, entièrement restauré. Ce musée est essentiellement consacré aux traditions populaires gantoises du début du siècle, ainsi qu'à ses commerces et métiers.

Le Théâtre de Marionnettes donne régulièrement des représentations de marionnettes, avec "Pierke", la marionnette traditionnelle de Gand.

L'Abbaye de Cisterciennes de la Bijloke fut fondée au 13ᵉ siècle.

A cette abbaye se ratachait un hôpital, qui allait par la suite devenir l'Hôpital Civil de la ville.

Les bâtiments de l'abbaye servent actuellement de musée archéologique.

Le Monastère St.-Pierre fut fondé à la fin du 7ᵉ siècle par un ami de St.-Amand. P. Huyssens reconstruit l'ancienne église gothique en style baroque, avec une coupole imitant celle de l'église St.-Ignace de Rome.

Des expositions et d'autres manifestations culturelles y sont organisées régulièrement.

L'Abbaye St.-Bavon doit son nom à un riche converti qui fit bénéficier de ses largesses le monastère.

Le lavabo, le réfectoire, une partie de la salle capitulaire, la brasserie, le dortoir et la grande église, qui tous datent du 7ᵉ siècle, constituent aujourd'hui le Musée Lapidaire.

Laarne est un village champêtre et résidentiel situé dans la région flamande sablonneuse, le long de la Route des Fleurs. On accède à son château en empruntant une charmante allée de hêtres. Cet édifice est l'un des châteaux forts médiévaux les mieux conservés de Flandre.

Après les restaurations de 1962, il a été réaménagé avec du mobilier de valeur, des tapis muraux, des peintures et des objets d'art.

Ooidonk, nichée dans la région vallonnée de la Lys.
On accède au "Château van Ooidonk", l'un des plus beaux de Belgique, par une magnifique allée de tilleuls.
Ce château est un joyau d'architecture hispano flamande du 16ᵉ siècle.

Oudenaarde (Audenarde), ville d'art et centre touristique sur les rives de l'Escaut. L'Hotel de Ville de style gothique brabançon tardif, constitue l'un des plus beaux édifices civils de Flandre.

Sint-Niklaas (Saint-Nicolas), capitale du Pays de Waas située le long de la "Moervaartroute".

La Grand-Place, d'une superficie de 3 ha 9 ares, est la plus vaste du pays. C'est ici que s'envolent tous les ans de nombreux ballons multicolores.

L'Hotel de Ville de Style néo-classique comporte une façade symétrique à beffroi carré.

Antwerpen (Anvers), est fille de l'Escaut. C'est là qu'au 7e siècle, les évangélisateurs St.Eloi, St.-Amand et St.-Willebrord abordèrent pour christianiser la Flandre. Ravagèe par les Normands la ville fut aussitôt reconstruite. Au 13e siècle, Anvers dut sa prospérité à l'industrie du drap; son commerce en fit une des cités les plus resplendissantes.
La célèbre imprimerie "Officina Plantiniana" de Plantin et Moretus, joua un rôle important dans ce renouveau, tout comme l'apparition de peintres de réputation mondiale, Quentin Metsys, P.P. Rubens, A. Van Dijck, J. Jordaens, D. Teniers et leurs élèves. Ils firent d'Anvers un centre d'art de très grand rayonnement.
Leurs oeuvres continuent à susciter l'admiration dans le monde entier. Anvers doit aussi sa renommée à l'industrie diamantaire.

L'Hôtel de Ville fut construit entre 1561 et 1565 sous la direction de Cornelius de Vriendt. La façade avant, longue de 76 m est ornée de blasons.
Dans la niche centrale se trouve la statue de la Vierge, sainte protectrice de la ville et dans les deux autres niches se trouvent des statues allégoriques, qui représentent la 'Sagesse' et la 'Justice'.
Ce gigantesque bâtiment de la Renaissance est un mélange de motifs italiens et flamands, mais le dessin des pignons à redans de la partie centrale est purement flamand.

Sur la Grand Place se trouve la fontaine de Brabo de Jef Lambeaux. Le jeune Silvius Brabo, neveu de Jules César, vainquit le géant Antigoon et punit celui-ci de la même manière qu'il punissait les bateliers qui ne pouvaient payer le droit de passage; il lui coupa la main droite et la jeta dans l'Escaut.

La Cathédrale Notre-Dame est l'église gothique la plus grande et la plus importante de la Belgique. Il fallut près de 2 siècles pour achever cette église superbe, véritablement emprisonnée entre les rangées de maisons dont seules les parties supérieures du bâtiment dépassent.

L'intérieur est époustouflant de beauté, surtout la nef centrale et les 6 nefs collatérales. Dans la croisée du transept sud se trouve le tryptique 'La descente de la croix', dans la croisée du transept nord, 'L'erection de la croix' et dans l'une des chapelles, la 'Résurection du Christ'; tous des chefs-d'oeuvre de P.P. Rubens. On peut y admirer davantage des chefs-d'oeuvre précieux tels que des vitraux, des stalles, des confessionnaux et des chaires magnifiquement sculptés dans le bois, un orgue, etc.

L'Eglise St.-Paul appartenant à l'ancien couvent dominicain, est un édifice gothique tardif (1530-1571). Au-dessus du choeur se dresse une tour baroque qui fut achevée en 1639.
Les 15 mystères du Rosaire furent peints au début du 17e siècle par 11 mâitres anversois différents; ils appartenaient tous à l'école de Rubens.
Il s'agit d'une série unique dans l'histoire de la peinture.

L'Eglise St.-Charles Borromée est une belle église baroque. Elle fut construite grâce au père F. Aguillon et au frère P. Huyssens, pour l'ordre des Jésuites.
Avec sa façade richement décorée et sa belle tour d'une hauteur de 58 m, elle constitue un chef-d'oeuvre de l'architecture baroque religieuse.

L'Eglise St.-Jacques est un édifice religieux à trois nefs contruit en grès blanc en style gothique brabançon. Elle possède nombre de chefs-d'oeuvre intéressants.
P.P. Rubens fut enterré dans cette église et il repose en dessous d'une peinture sur laquelle is est représenté, tel St.-Joris entre ses deux épouses : Isabella Brant et Helena Fourment.

De la Place Verte, nous pouvons admirer la tour de la cathédrale, haute de 123 m. Au centre de la place se trouve la statue de P.P. Rubens, conçue par G. Geefs en 1840.

Le mâitre y contemple sa ville, le regard semblant vouloir dire : "Observez cette ville et vous comprendrez d'où je tirais mon inspiration".

En 1610, P.P. Rubens acheta un immeuble pour en faire une habitation et un atelier d'après ses propres plans. Il fallut néamoins attendre 1615 avant qu'il ne puisse emménager dans l'habitation. Il y resta habiter et travailler jusqu'à sa mort en 1640.

Il est à remarquer qu'une des ailes fut construite dans le style traditionnel de la Renaissance, une autre dans le style baroque élégant.

 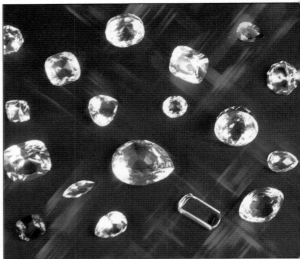

Le quartier de la gare est celui des diamantaires. C'est dès le 16ᵉ siècle qu'Anvers atteint la notoriété pour la taille du dia-
mant. La technique de la taille mise au point par Lodewijck van Bercken est encore appliquée aujourd'hui.

La métropole qu'est Anvers possède l[e]
deuxième plus grand port d'Europe et l[e]
troisième au monde.

Elle compte également la plus grand[e]
écluse maritime au monde, un resea[u]
ferroviaire important, 127 km de quai[s]
de débarquement, de 110 millions d[e]
tonnes de marchandises transbordées pa[r]
an, de 57.000 emplois, d'un réseau rou[-]
tier de 350 km et d'une superficie d[e]
15.000 ha.

Bornem est un village pittoresque bâti dans l'un des méandres de l'Escaut.
La maison communale et l'église Notre-Dame et St.-Leodegaire datant de la fin de l'époque classique (1828-1829) dominent la place du village.

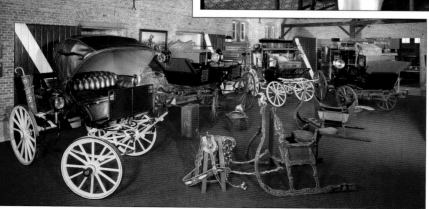

Le Château est situé sur la berge du Vieux Escaut.
L'intérieur bien conservé nous fait rêver.
Dans quelques dépendances est réunie une collection de voitures européennes et américaines. Ce qui donne une idée de ce qu'était la vie au château.

Herentals est une cité historique de la Campine méridionale anversoise. Elle a été fondée en 1209 par Hendrik I, duc de Brabant.
L'Hotel de Ville, halle aux draps à l'époque de sa construction, date de 1400 environ. Le beffroi a quant à lui été érigé en 1534.

Lier, important centre touristique situé au confluent de Grande et de la Petite Nèthe.
Louis Zimmer a offert à sa ville natale une curieuse horloge astrologique. Ce chef-d'oeuvre a été placé dans un vestibule de l'ancienne enceinte de la ville (14ᵉ siècle), aujourd'hui dénommé "Zimmertoren".

Mechelen (Malines) est une ville qui vaut le détour. Elle a beaucoup à offrir vu son riche passé historique. Le premier événement qui donna de l'importance à la ville fut l'édification du parlement de Malines en 1473. Celui-ci est resté en place jusqu'en 1794. S'ensuivit, de 1507 à 1530, la fondation de la cour de Marguerite d'Autriche, gouvernante des Pays-Bas. Et en 1835, le premier train du continent européen arriva à Malines.

L'hôtel de ville se compose de trois styles : le gothique du 14e siècle, le gothique tardif entrepris en 1526 et un faîte baroque du 17e. Charles Quint exerça une très grande influence sur la ville; sa présence est toujours perceptible dans l'hôtel de ville.

Le palais de Marguerite d'Autriche fut construit pendant sa période de gloire; elle y menait une vie de cour bien remplie, entourée de savants et d'artistes.

La richesse d'antan se devine encore aux maisons admirablement restaurées.

a cathédrale Saint-Rombaut date des 15ᵉ et 16ᵉ siècles. Il s'agit d'un modèle de gothique brabançon. La tour a une hau-
ur de 97 m. Elle renferme 98 cloches. L'orgue compte 6 600 tuyaux et est la garantie de concerts sans pareils.

Tongerlo doit essentiellement sa réputation à l'abbaye qui y fut érigée en 1130. Une splendide drève de tilleuls tricentenaires mène au remarquable portail du couvent.

L'abbaye abrite actuellement un musée Da Vinci qui recèle notamment une toile de 3 m carrés. **"La Dernière Cène"**, une fidèle réplique de la célèbre fresque de Leonardo Da Vinci.

urnhout, située le long de la route touris-
que Taxandria, est renommée pour son
dustrie des jeux de cartes.
e béguinage, construit au 13ᵉ siècle, a été
étruit par le feu en 1562 et reconstruit; les
elouses et les tapis de fleurs lui donnent un
spect particulièrement attrayant.
'une des maisons abrite un musée retraçant
histoire du béguinage et la vie des
éguines.

Hasselt est le chef-lieu de la province de Limbourg. Cette ville est arrosée par la Demer et le Canal Albert. Hasselt obtint le statut de ville dès 1232. Grâce à sa situation centrale, la ville devint rapidement un important centre industriel et commercial, réputé en outre depuis le siècle dernier pour ses genièvreries.

La Cathédrale gothique St.-Quentin a été construit sur plusieurs siècles.
L'Hôtel de Ville a été construit aux alentours de 1630, mais était à l'origine une demeure patricienne.
La maison "l'Epée" (Het Sweert - 1659) est un remarquable bâtiment de style Renaissance mosane. Les niches du froton proéminent sont remplies de croix de St.-André.

Bokrijk est un musée à ciel ouvert unique en son genre. Des fermes, des moulins et divers types d'établissements du pays flamand y ont été reconstitués. La culture populaire est ici présentée dans un cadre magnifique.

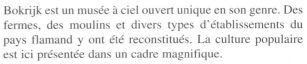

Sint-Truiden (Saint-Trond) est un centre touristique situé sur la route hesbignonne et au coeur de la région fruitière. C'est également une ville commerçante qui possède l'un des principaux marchés fruitiers du pays. La Grand-Place est dominée par trois tours : le beffroi de l'Hotel de Ville (46 m de haut), la tour de l'église Notre-Dame, de style gothique et datant du 16e siècle et enfin celle de l'abbaye, détruite par le feu en 1975.

On peut admirer l'horloge astronomique de compensation la plus grande du monde, oeuvre de toute la vie du trudonnaire Kamiel Festraets (1904-1974) dans le Festraetsstudio.

TONGEREN

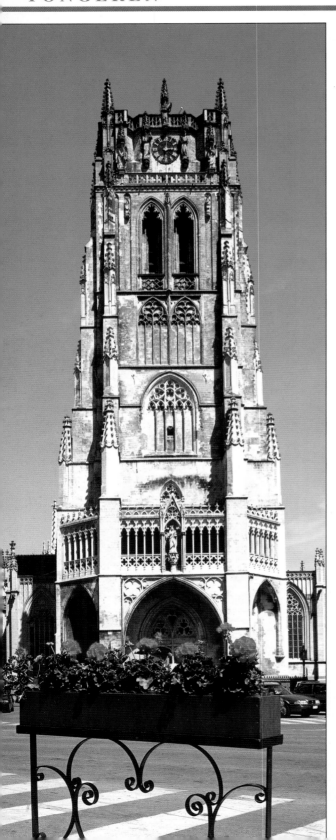

Tongeren (Tongres) est la plus ancienne ville du pays, située en Hesbaye, sur la Jeker. C'était déjà un marché florissant au 2ᵉ-4ᵉ siècle.
La basilique Notre-Dame, de style gothique, est l'édifice le plus grand du Limbourg. Sa construction a nécessité trois siècles de travail. La première enceinte de la ville (4500 m) date du 2ᵉ siècle. De nos jours, seuls 1500 m de ruines dépassent encore le niveau du sol.

La statue en bronze d'Ambiorix, roi des Eburons, a été réalisée par le sculpteur français Jules Bertin.

Liège, chef-lieu de la province, se trouve au confluent de la Meuse et de l'Ourthe. La ville, embellie par la Meuse, doit sa renommée à l'art et est en perpétuelle métamorphose.

Le Palais des Princes-Evêques est un somptueux édifice doté d'une superbe cour intérieure.

Les escaliers "Montagne de Bueren" (407 marches) datent de 1881 et mènent à la Citadelle d'où l'on découvre une vue panoramique impressionnante.

Le Perron est le symbole de la liberté liégeoise et des franchises de la "Ville Ardente".

L'Hotel de Ville a été construit entre 1714 et 1718 sur trois niveaux de briques et de calcaire.

La Gileppe, barrage niché dans le cadre verdoyant de l'Hertogenwald, a une capacité globale de 25 millions de m³. Son célèbre lion (130 tonnes et 13,5 m de haut) domine le vallon boisé de la Gileppe.

Butgenbach, barrage alimenté par les eaux de l'Horzwarche et de la Warche, s'étend au coeur des Hautes Fagnes. Le Lac de 125 ha a une capacité totale de 11 millions de m³.

Robertville, dans les vallées de la Warche et du Bayon, représent un pôle touristique privilégié. Le barrage de Robertville, construit en 1930, a une superficie de 63 ha et une capacité de 8 millions de m³.

Eupen, situé à une altitude de 300 m, bénéficie d'un climat vivifiant dû à la proximité des Hautes Fagnes. Le barrage sur la Vesdre et le Getsbach, inauguré en 1951, a une superficie de 125 ha et peut contenir jusqu'à 25 millions de m³.

Coo, hameau situé à l'endroit où l'Amblève décrit un large méandre.
La rivière y forme une chute impressionnante de 15 m, la plus haute de Belgique : la célèbre Cascade de Coo.

Hautes Fagnes, le plateau de la Fagne se dessinne entre Eupen et Malmedy. Le promeneur découvre un spectacle magnifique et ceci en toute saison.

Depuis le Signal de Botrange, point culminant de Belgique (694 m d'altitude) on jouit d'un panorama exceptionnel.

Modave. Implanté sur un piton rocheux, le château dont certaines parties remontent au 13e siècle, est dans son aspect architectural actuel, l'oeuvre du Comte de Marchin qui, de 1652 à 1673, le restaura et l'aménagea.

A l'intérieur du château, dont chacune des quelques vingt salles visitables est richement décorée et meublée, on peut notamment admirer de remarquables plafonds, des sculptures, des peintures, des tapisseries de Bruxelles, du mobilier du 18e siècle.

Spa, Ville d'Eau et Perle des Ardennes. Le casino, de style rétro, accueille les multiples festivités locales ou internationales. L'église St.-Remacle est un vaste édifice de style néo-roman. Les parcs et les jardins représentent l'un des autres attraits de cette cité thermale.

Stavelot, petite ville très ancienne, habitée dès 648, date à laquelle St.-Remacle y fonda une abbaye. Le Laetare doit sa renommée aux Blancs Moussis, personnages vêtus d'une cape blanche et affublés d'un long nez rouge

Arlon, chef-lieu de la province, est une vieille ville qui s'étage sur une colline. Le "Pays d'Arlon" fait partie de la Lorraine Belge. C'est ici que la Semois, l'attrayante rivière de cette belle région touristique, prend naissance.

La Place Léopold constitue le centre de la ville. Créée en 1840, elle est entourée de l'hôtel du gouvernement provincial, du palais de justice et de la poste. Un square fleuri agrémente l'ensemble. Le square Astrid s'étend au sommet d'une pente ; on peut y admirer un buste de la reine ainsi que "l'Appel de la Forêt". Dans une rue avoisinante se trouve le Musée Luxembourgeois, sans aucun doute l'un des musées archéologiques les plus riches de Belgique.

L'église St.-Donat est perchée sur la colline. C'est au début du 17e siècle que des moines capucins entreprirent la construction de leur couvent sur les ruines du Château des Comtes d'Arlon. Ce couvent fut supprimé en 1796 et l'église devint une église paroissiale en 1825.

Bastogne, située au coeur de l'Ardenne, doit sa réputation internationale au rôle joué par la ville lors de l'offensive des Ardennes en décembre 1944. Des coupoles de chars ont été disposées en plusieurs endroits de la localité pour commémorer cet événement.

Sur la place Mac Auliffe se trouvent un buste du général du même nom ainsi qu'un tank Sherman.

Durbuy "la plus petite ville du monde". Son église paroissiale est un édifice de style baroque tendis que e Château d'Ursel date de la fin du 17ᵉ siècle. La orteresse, les anciennes demeures, les rues minuscules et l'Ourthe complètent ce site remarquable.

Bouillon, "capitale" belge de la Semois, est une ancienne ville dont l'histoire est étroitement liée à celle de son château fort et de Godefroid de Bouillon, originaire de a ville comme son nom l'indique.

Le château constitue l'un des vestiges les plus intéressants de l'architecture militaire du sud de la Beglqique.

L'esplanade offre une vue splendide sur la boucle de la Semois et sur ce célèbre centre touristique.

La Roche-en-Ardenne, principal centre de villégiature de l'Ourthe, baigne paisiblement dans l'une des boucles de la rivière et est dominée par les vestiges de sa forteresse et ses collines boisées

Orval se blottit au milieu des bois de la Gaume.

Les ruines de l'abbaye cistercienne, qui ont été les témoins d'une histoire mouvementée, constituent des richesses de renommée mondiale. En 1926, les Trappistes y rétablirent une vie monastique.

L'église abbatiale moderne est décorée par une immense statue de la Vierge (17 m de haut).

Orval constitue un haut lieu de sérénité et de recueillement.

SAINT-HUBERT

Saint-Hubert, capitale des forêts de la Haute Ardenne et de la chasse. La basilique dépendait autrefois de l'abbaye bénédictine. Sa façade est dominée par la statue de St.-Hubert, flanquée de deux tours.
Ici est né en 1759 le peintre P.J. Redouté, spécialiste des fameux dessins des "Roses Redouté", il mourut à Paris en 1840.

Ardennes, les magnifiques paysages sont sillonnés par les affluents de la Meuse, la Lesse, l'Ourthe et la Semois. On peut encore y admirer la nature dans toute sa splendeur.

Namur, chef-lieu de la province, se situe au confluent de la Meuse et de la Sambre, dans un cadre de verdure et de rochers.

La cathédrale St.-Auban fut édifiée entre 1751 et 1763. Ses colonnes accouplées à l'italienne soulignent harmonieusement les travées.

La citadelle surplombe la ville à l'endroit précis où se rejoignent les deux fleuves. Cette ancienne fortification a été transformée en une vaste zone verte de 80 ha et offre un magnifique panorama de la ville et de la vallée. La statue équestre du roi Albert I se dresse à la pointe extrême du confluent des deux fleuves.

Annevoie doit sa renommée à son château entouré de somptueux jardins.
Les expositions de fleurs qui y sont organisées offrent des spectacles saisonniers d'une grande variété.

Chevetogne est situé dans un paysage vallonné.
L'église du monastère bénédictin constitue la plus grande
église byzantine construite dans un pays non-orthodoxe.

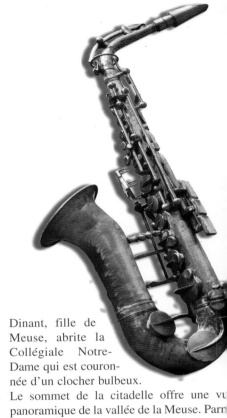

Dinant, fille de Meuse, abrite la Collégiale Notre-Dame qui est couronnée d'un clocher bulbeux.
Le sommet de la citadelle offre une vu panoramique de la vallée de la Meuse. Parm les nombreuses grottes, la "Merveilleus porte bien son nom.

Adolphe Sax, inventeur du saxophone, y est né (1814-1894).
Le "Rocher Bayard" est une grande aiguille rocheuse de 3 m de hauteur.
Du haut d'un rocher le Château de Walzin supervice la vallée.

Freÿr, un epsace raisonné et géo-
métrique en harmonie avec un sit
étonnament sauvage.
Un château renaissance allié à de
jardins 18e siècle.
Les deux orangeries de style régence
abritent toujours 33 orangers tricentenaires. Le jardin renaissance fut rem-
placé, vers 1760, par un jardin à l
française.

Han-sur-Lesse, petite localité insérée dans le parc national de Lesse et Lomme

La Lesse y a creusé, dans un terrain calcaire et schisteux, la grotte la plus célèbre de Belgique dont la réputation dépasse d'alleurs nos frontières.

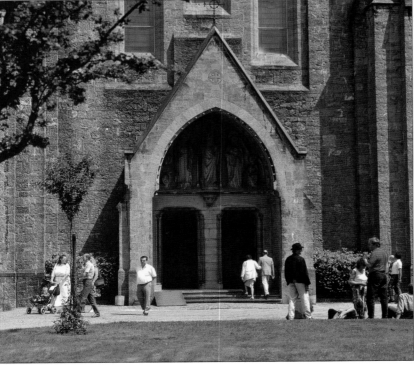

Maredsous, situé en bordure de la Molignée. Son abbaye fut fondée en 1872 par un moine bénédictin belge. Le portail de l'église est orné de la statue de St.-Benoit, patron du monastère.

L'église abbatiale est un des plus beaux exemple de l'architecture néo-gothique.
A l'intérieur des peintures illustrent la vie de St.-Benoit, l'histoire sainte et l'église.

Vallee du Viroin. A travers la merveilleuse vallée du Viroin "Le chemin de fer à vapeur des trois vallées" joue avec les méandres de la rivière et relie Mariembourg à Treignes.

Mons, chef-lieu de la province de Hainaut situé au centre du Borinage, a connu un développement important au siècle dernier. La ville a conservé le caractère et le charme d'une vieille cité aux rues en pente.

La Collégiale St.-Waudru figure parmi les plus belles églises de style baroque brabançon de Belgique.

L'élégant Hôtel de Ville se trouve sur la Grand-Place. Sa façade a été inspirée par le style gothique flamboyant.

La figurine en bronze représentant un singe ("Grand garde") accolée à la façade de l'Hôtel de Ville est extrèmement populaire mais ses origines restent mystérieuses. Il s'agit en fait du porte-bonheur des Montois.

Le "Lumeçon" est la survivance d'un jeu processionnel exécuté par la confrérie de St.-Georges pour honorer son saint patron.

Le beffroi, d'une hauteur de 87 m, de style baroque et dont le carillon ne compte pas moins de 47 cloches, domine le paysage montois.

Dans les environs de Mons, à Casteau Maisières, se trouve le siège du S.H.A.P.E., commandement suprême des forces alliées en Europe.

Beloeil doit sa renommée au château qui appartient à la famille des Princes de Ligne depuis plusieurs siècles. Cette splendide résidence abrite de riches collections ainsi qu'une bibliothèque unique en son genre et est agrémentée par un parc remarquable.

Un des plus beaux parc de Belgique surnommé le "Versailles belge" s'étend sur 120 ha et fut conçu à la manière française.

Binche a conservé une enceinte fortifiée médiévale (12ᵉ-14ᵉ siècle).

Son carnaval compte parmi les plus célèbres et les plus importants d'Europe. Le "Gille", connu depuis le 18ᵉ siècle, porte un somptueux costume et est coiffé d'un chapeau à plumes d'autruches. Les Gilles de Binche ne quittent jamais leur ville.

CHARLEROI

Charleroi constitue la métropole d'une des régions industrielles de Belgique.
Des foires commerciales et industrielles sont organisées dans le Palais des Expositions tandis que le Palais des Beaux-Arts propose un large éventail de manifestations artistiques.

L'Hôtel de Ville est dominé par un beffroi de 70 m de haut doté d'un carillon de 47 cloches.

Chimay, ville historique, se situe
dans un cadre splendide.
Le Château des Princes de
Chimay se dresse sur un rocher
baigné par l'Eau Blanche.
Sur la Grand-Place, bordée de
maisons patriciennes, se trouvent
l'Hôtel de Ville et la Collégiale
St.-Pierre et St.-Paul.

Ronquières constitue le poin
central d'une région touris
tique renommée : "les petite
Ardennes".
En 1967, l'on y construisit ur
gigantesque tranporteur de
bateaux d'une longeur totale
de 1432 m permettant de com
penser une dénivellation de
68 m : le "plan incliné de
Ronquières".

Tournai, bâtie sur les rives de l'Escaut, constitue le centre d'une région agricole. Elle a connu 18 siècles d'histoire tourmentée mais a conservé sa réputation de ville d'art.
La cathédrale Notre-Dame, de style romano-gothique et dotée de 5 clochers, est un des plus prestigieux édifices religieux de notre pays.
Le beffroi a une hauteur de 72 m et abrite un carillon de 43 clochers.

INDEX